LE TARTUFFE OU L'IMPOSTEUR

Molière

Fiche de lecture

Rédigée par Kathy Jusseret (Université catholique de Louvain)

lePetitLittéraire.fr

Retrouvez tout notre catalogue sur www.lePetitLitteraire.fr
Avec lePetitLittéraire.fr, simplifiez-vous la lecture !

© Primento Éditions, 2011. Tous droits réservés.
4, rue Henri Lemaitre | 5000 Namur
www.primento.com
ISBN 978-2-8062-1347-1
Dépôt légal : D/2011/12.603/258

SOMMAIRE

LE TARTUFFE OU L'IMPOSTEUR

MOLIÈRE

Molière, alias Jean-Baptiste Poquelin (1622-1673), aban-donne à 21 ans la situation bourgeoise qu'il allait hériter de son père, tapissier du roi. Il fonde l'Illustre Théâtre et y devient auteur, comédien et directeur de troupe, mais la faillite du théâtre le contraint à une vie d'itinérance durant 15 ans. Son premier grand succès date de 1659 : *Les Précieuses ridicules*.

Très critiqué, il devient aussi très célèbre. *Le Tartuffe* est d'ailleurs interdit à la représentation. Auteur prolifique, Molière lègue au patrimoine culturel français des pièces majeures comme *Dom Juan* (1665) ou *Le Misanthrope* (1666).

Il devient ensuite chef de la « Troupe du roi », écrit des comédies-ballets et des comédies proches de la farce comme *Le Malade imaginaire* (1673).

• **Né en 1622 à Paris et décédé en 1673**
• **Dramaturge, comédien et chef de troupe**
• **Quelques-unes de ses œuvres :**
Dom Juan (1665), théâtre
L'Avare (1668), théâtre
Le Bourgeois gentilhomme (1670), théâtre

Une comédie aux airs tragiques

En 1664, les dévots font interdire les deux premières ver-sions de la pièce. La troisième, *Le Tartuffe ou l'Imposteur*, ne sera autorisée qu'en 1669 et obtiendra un énorme succès (on compte 77 représentations du vivant de l'au-teur et, en tout, plus de 3000 représentations à la Co-médie Française, ce qui en fait une des pièces classiques les plus jouées). Cette comédie narre l'histoire d'Orgon, notable qui s'est ridiculement entiché de Tartuffe, faux dévot. Orgon offre à Tartuffe la main de sa fille alors que celui-ci tente de séduire son épouse. Piégé et démasqué, Tartuffe cherche à chasser de chez lui Orgon grâce à une donation que ce dernier lui avait faite de ses biens et grâce à la détention de documents compromettants.

1. RÉSUMÉ

Acte I

Scène 1

Mme Pernelle s'adresse à chaque membre de la maisonnée pour les critiquer sans ménagement : Dorine, la suivante, Damis et Mariane, ses petits-enfants, Elmire, sa bru, et Cléante, son fils. Elle **s'énerve de voir que ceux-ci n'apprécient pas Tartuffe, l'homme pieux qu'a généreusement accueilli Orgon**, son autre fils, et dont elle vante le caractère et le comportement. Seuls elle et Orgon sont persuadés des mérites du dévot et de l'exemple qu'il est pour chacun ; les autres, dont Dorine, **estiment que « Tout son fait n'est qu'hypocrisie ».**

Scène 2

Cléante et Dorine discutent de cette adulation excessive et naïve de Mme Pernelle pour Tartuffe. Cléante souligne l'entichement plus excessif encore d'Orgon.

Scène 3

Damis demande à Cléante d'**intervenir auprès d'Orgon pour soutenir le mariage de sa sœur, Mariane, avec Valère**, qui est compromis par la présence de Tartuffe auquel Orgon réserve sa fille.

Scène 4

Dorine explique à Orgon l'état maladif dans lequel se trouvait son épouse la veille. Orgon, plus inquiété par le sort du dévot que par celui d'Elmire demande : « Et Tartuffe ? ».

Scène 5

Cléante parle de Tartuffe à Orgon, qui ne l'écoute pas et en fait un éloge aveuglé : il expose la piété et l'exemple de charité qu'est Tartuffe. Cléante, pour lui ouvrir les yeux, dit inutilement : « Vous ne ferez nulle distinction/ Entre l'hypocrisie et la dévotion ? ».

Acte II

Scène 1

Orgon annonce son **souhait que Mariane épouse Tartuffe** pour le lier à sa famille.

Scène 2

Pour Dorine, ce mariage est incroyable, mais Orgon insiste sur la véridicité de cette nouvelle. Dorine entame alors un discours très critique contre Tartuffe, mais, malgré ses tentatives pour dissuader Orgon (il a déjà promis Mariane à Valère), le vieillard campe sur ses positions et, excédé par Dorine, s'en va.

Scène 3

Mariane reste passive : « Contre un père absolu/ Que veux tu que je fasse ? ». Elle se chamaille ensuite avec **Dorine**, qui **ne supporte pas l'immobilisme de la jeune femme**. Pour la faire réagir, elle lui expose les conséquences de ce mariage : « Non, vous serez, ma foi, tartuffiée ! ». Mariane n'aperçoit dans ce destin qu'une issue funeste.

Scène 4

Valère arrive près d'elle. S'ensuit une dispute amoureuse teintée de tristesse et d'abandon, chacun rejetant la responsabilité de cette destinée malheureuse sur l'autre. Sans qu'aucun ne réagisse, ils se disent adieu. Dorine prend la situation en main pour leur ouvrir les yeux sur leur amour et échafauder un plan pour se sortir de cette situation.

Acte III

Scène 1

Damis et Dorine parlent de Tartuffe.

Scène 2

Celui-ci entre en scène et Dorine lui annonce la volonté de Mariane de le voir.

Scène 3

Elmire et Tartuffe sont ensemble. **Damis, caché, entend Tartuffe avouer son désir pour Elmire et son intention de ne pas épouser sa fille.** La surprise d'Elmire est grande. Tartuffe répond : «Ah pour être dévot/ Je n'en suis pas moins homme». Sachant qu'Orgon s'est entiché de lui, Tartuffe n'a pas peur qu'elle lui révèle quoi que ce soit. Elmire, suivant son plan, lui demande alors de soutenir le mariage de Mariane et Valère.

Scène 4

Damis sort de sa cachette et, excédé, est prêt à tout révéler.

Scène 5

Damis raconte ce qu'il vient de voir à son père.

Scène 6

Tartuffe avoue et s'humilie («Tout le monde me prend pour un homme de bien, mais la vérité pire est que je ne vaux rien»), ce qui a pour effet de **toucher Orgon qui s'emporte face à l'antipathie que ressent sa famille pour l'homme qu'il adule.** Il précipite alors le mariage de Mariane avec Tartuffe et **prive Damis de sa succession.**

Scène 7

Orgon témoigne à Tartuffe son attachement pour lui.

Acte IV

Scène 1

Cléante tente de percer à jour les intentions de Tartuffe en l'interrogeant sur le fait qu'il participe à déshériter Damis, l'héritier légitime. Entamant une explication peu crédible, Tartuffe se sent pris en étau par l'insistance de Cléante et prend congé.

Scène 2

Elmire, Mariane, Cléante et Dorine discutent de la situation.

Scène 3

Mariane implore son père de ne pas la marier à Tartuffe. Elle évoque d'ailleurs le couvent. Orgon ne prête aucune attention aux remarques de ses proches. **Elmire** se fixe alors pour objectif de **prouver** que Damis a raison quant à **la fourberie du dévot**.

Scène 4

Elle **cache Orgon pour qu'il observe le comportement de Tartuffe**.

Scène 5

Tartuffe ne se doute de rien et rend progressivement sa confiance à Elmire. Pour le duper, celle-ci lui dit qu'elle va lui montrer qu'elle ressent les mêmes sentiments que lui.

Scène 6

Tartuffe sorti vérifier que la place est libre, Orgon se montre et s'insurge, mais Elmire lui conseille d'attendre encore un peu afin d'observer l'hypocrisie de l'homme.

Scène 7

Orgon obtient enfin la preuve de la duperie de Tartuffe et le somme de quitter sa demeure. Celui-ci lui renvoie la menace, lui apprenant que désormais, grâce aux donations d'Orgon, **il est le maitre des lieux**.

Scène 8

Orgon commence à craindre pour son avenir et celui de sa famille car Tartuffe le menace de révéler les actes malhonnêtes qu'il commis par le passé.

Acte V

Scène 1

Orgon explique brièvement une histoire de cassette qu'il aurait cachée pour un ami en fuite. Par ailleurs, il clame ne plus pouvoir croire en l'existence des hommes de bien. Cléante tente de le calmer.

Scène 2

Avec Damis, Orgon et Cléante tirent la situation au clair.

Scène 3

Toute la famille est présente et Orgon tente vainement d'expliquer à sa mère à quel point Tartuffe est un hypocrite, ce qu'elle ne peut se résoudre à croire.

Scène 4

M. Loyal vient de la part de Tartuffe **saisir les biens et exproprier Orgon**. Père et fils s'emportent.

Scène 5

Mme Pernelle commence à mesurer la gravité de la situation. Pour Elmire, **la seule solution est de révéler la vraie nature de Tartuffe pour faire annuler le contrat**.

Scène 6

Valère arrive, bien renseigné. Il vient aider Orgon à fuir puisque ce dernier, ayant aidé un criminel d'État, est coupable devant la justice royale.

Scène 7

Il est sur le point de s'échapper quand Tartuffe arrive, accompagné de l'exempt chargé d'arrêter Orgon. Tartuffe reconnait la bonté d'Orgon à son égard, mais son premier devoir est l'intérêt du prince. L'exempt se tourne alors non vers Orgon, mais vers **Tartuffe**. Celui-ci était en fait **connu pour d'autres méfaits** et le prince s'est souvenu des services passés d'Orgon. **Tout rentre ainsi dans l'ordre. Le roi fait emprisonner Tartuffe et le mariage de Mariane et Valère est célébré**.

2. ÉTUDE DES PERSONNAGES

Tartuffe

C'est **un faux dévot, un hypocrite et un profiteur** qui s'introduit dans la famille d'Orgon pour la déposséder de tout par la tromperie et le prétexte de la religion. Bien qu'il soit le personnage central, car toute l'intrigue tourne autour de lui, et que chaque personnage se définisse dans son rapport avec lui, il apparait principalement dans les actes III et IV.

Tartuffe est **un bon vivant, robuste, gros, qui se laisse aller à ses désirs sensuels tout en feignant la piété**. Ses agissements et **ses comportements sont excessifs**, parfois jusqu'à l'absurde, ce qui provoque le **rire**.

C'est **un très fin manipulateur, un opportuniste** qui sait changer son fusil d'épaule et s'adapter à chaque situation pour pouvoir en sortir vainqueur. Ainsi, quand il le faut, il n'hésite pas à aller dans le sens de ses détracteurs et à feindre de se repentir. Il apparait donc comme un personnage assez machiavélique. Notons aussi que, face à ce personnage, le spectateur est dans la même position que les membres de la famille, qui sont conscients de l'hypocrisie du dévot et qui ne l'apprécient pas . L'identification au camp des lucides (c'est-à-dire de ceux qui voient clairement qui est réellement Tartuffe) est donc totale.

Les dupes

a) Mme Pernelle

Elle est la mère d'Orgon. Elle est **vieux jeu, rigide**, elle se laisse duper par Tartuffe jusqu'à la fin et critique tout le monde. Elle est aussi le **double d'Orgon**.

b) Orgon

C'est le chef de famille. Il est **au centre de la pièce** car, sans sa naïveté et son adulation pour Tartuffe, la pièce n'aurait pas lieu d'être et Tartuffe n'aurait aucun pouvoir. Vieil homme qui a peur d'aller en enfer, il veut s'assurer sa place au paradis. Pour ce faire, il invite sous son toit un homme de foi. De dévouement, son intérêt pour Tartuffe devient **aveuglement**. À la différence de son frère, Orgon est **excessif dans ses décisions et dans sa manière d'imposer son autorité**.

Les lucides

a) Dorine

Dorine est la servante et elle se caractérisée par son **franc-parler**. Elle semble par ailleurs avoir peu de respect pour la hiérarchie familiale car elle se permet de répondre à son maitre, Orgon. Elle s'oppose au mariage de Mariane avec Tartuffe. Elle **représente le bon sens** même si elle l'exprime de manière assez peu mesurée. Elle est ainsi le **double de Cléante**.

b) Elmire

Seconde épouse d'Orgon, probablement assez jeune, elle n'est pas la mère de ses deux enfants. Tout à fait consciente de la fourberie de Tartuffe, elle est une **femme moderne qui agit**, qui s'accommode avec les gens et qui respecte les convenances. Elle est **discrète**, mais c'est pourtant elle qui permet de trouver une solution et de démasquer l'imposteur, tout en restant très prudente dans ses actions et ses paroles.

c) Cléante

Il est le **frère d'Orgon et son opposé**. Il est le personnage **sérieux** de la comédie de Molière. Dans toute la pièce, il présente le côté mesuré de la situation. Il refuse de penser, au contraire de son frère, que parce qu'un homme mauvais se cache sous l'habit d'un bon, tous les hommes qui semblent bons sont mauvais. À ce propos, il met en relief la fausse dévotion et rend justice à la vraie. C'est un personnage **raisonnable**, il incarne la norme ainsi que la morale juste et, de ce fait, il **représente l'éthique de l'honnête homme** (caractérisé par la mesure, la raison et le juste milieu), figure très importante à l'époque car exemplaire.

d) Mariane, Valère et Damis

Ces personnages sont, respectivement, la fille d'Orgon, son fiancé et le fils d'Orgon. Ces trois personnages sont nettement **plus en retrait** que les autres et **peu actifs**. La première est timide, soumise et ne semble pas pouvoir se soustraire à l'autorité paternelle. Damis, le fils d'Orgon, réagit à chaque fois violemment, ce qui joue en sa défaveur puisque cela excite la colère de son père qui le déshérite. Par ailleurs, on peut penser qu'il a hérité cette impétuosité de son père. Quant à Valère, l'amant, lorsqu'on lui retire la main de Mariane, il reste passif jusqu'à un certain point : il tente tout de même d'aider Orgon dans sa fuite afin de rétablir la situation initiale.

3. CLÉS DE LECTURE

Structure de la pièce

La pièce est scindée en 5 actes qui correspondent chacun à une étape, un évènement particulier.

L'acte I est le moment de l'exposition des faits. Le début est *in medias res* (on plonge directement dans l'action) puisqu'il commence par une dispute où les liens familiaux se mettent en place. Tartuffe n'apparait pas, mais il est question de lui à travers les dialogues et chacun des personnages se définit par rapport à lui. Le spectateur comprend qu'il y a deux camps : les dupes (Mme Pernelle et Orgon) et les lucides (le reste de la famille).

Du point de vue du langage, on note l'alternance de longues tirades et de brèves répliques entrecoupées qui permettent de donner la parole brièvement à chaque personnage ; chacun en alternance fait ainsi le blâme ou l'éloge de Tartuffe.

L'acte II correspond à la décision d'Orgon de marier sa fille à Tartuffe. Cet acte révèle l'immobilisme et la soumission de la jeune femme. Dorine s'insurge contre cette lâcheté, ainsi que contre l'inutile dispute amoureuse qui oppose Marianne à Valère et qui montre à quel point Orgon peut influencer sa famille. La question du mariage forcé est de mise.

Le comique est très présent dans les dialogues grâce au personnage de Dorine qui raille, qui ne peut y croire et qui s'emporte. De plus, les vers et les échos se répondent, le rythme est rapide et l'ironie, la raillerie et la contradiction rendent l'acte très dynamique.

L'acte III est d'une grande importance car c'est le lieu d'un tournant dans la pièce : Tartuffe, que le spectateur attend depuis le début puisqu'il n'est question que de lui, apparait enfin. Il se révèle tel qu'on l'imaginait, exagérant ses traits jusqu'au ridicule. Il semble être un personnage insolent et dangereux dont il apparait impossible de prédire les réactions : le spectateur doit donc rester sur le qui-vive.

L'acte IV comprend une **accumulation d'erreurs, d'embrouilles et de dangers**. La **réussite maléfique de Tartuffe** est à son apogée : il dupe toujours plus Orgon, il déshérite son fils, il tente encore de séduire Elmire et il n'est plus possible d'éviter le mariage, qui est d'ailleurs avancé au jour même. Il y a **beaucoup de tensions**. Par conséquent, cet acte relève plutôt du **registre tragique** : la famille se trouve dans une série de mauvais pas et le ton des dialogues est grave. C'est également dans cet acte que la fausse dévotion de Tartuffe est percée à jour. Le galant est ainsi démasqué dans une **scène de farce** qui allège le ton dramatique.

L'acte V est l'acte final. Le spectateur, qui n'a cessé de retenir son souffle, tant suite au rire qu'à la tension impliquée par la succession des événements malheureux, peut enfin respirer car **le dénouement est heureux**. Personne ne pouvait le deviner, ni Tartuffe, ni la famille et encore moins le spectateur. Par ailleurs, que la situation soit résolue in extremis **semble miraculeux**, bien que l'acte salvateur ne soit pas dû à Dieu, mais au roi.

La fin est assez parlante : toute la famille est réunie et Cléante apparait comme l'honnête homme. Toutefois, Molière, dans ce dernier acte, ne peut laisser les spectateurs sans une **dernière note comique** : le dialogue qui oppose Mme Pernelle et son fils a pour effet de faire rire car elle reste dupe et c'est Orgon, qui jusque-là l'était également, qui doit lui faire comprendre que Tartuffe est un imposteur, répétition d'une scène que l'on a vue à plusieurs reprises.

La comédie morale

La comédie morale, genre théâtral majeur au siècle de Louis XIV (à côté de la tragédie et de la farce), se définit comme une **étude critique des mœurs** qui a **pour dessein de corriger les travers des hommes**. Il y a donc une utilité morale dans le théâtre de Molière et c'est d'ailleurs ce qui caractérise tout le théâtre au siècle classique. L'intention est la prévention et l'instruction. Dans sa préface, Molière dit : « Rien ne reprend mieux les hommes que la peinture de leur défaut ». Pour l'auteur, critiquer est donc la clé pour enseigner de nouveaux comportements. Ainsi, dans ses pièces il met en scène des vices comme l'avarice, la jalousie ou encore l'hypocrisie, qu'il critique en ridiculisant à l'extrême les personnages caractérisés par ces défauts. Le **ridicule** est pour Molière un des meilleurs ressorts pour montrer aux hommes ce qu'ils doivent changer chez eux afin d'atteindre la posture de l'honnête homme.

On distingue deux types de comédies morales dans l'œuvre de Molière : d'une part la **comédie de caractère**, qui décrit les comportements, plus particulièrement les vices des hommes, d'autre part la **comédie de mœurs**, dans laquelle il dépeint les mœurs de la société. Notons qu'il a également inventé la comédie-ballet, dans laquelle sont insérés des ballets.

Les types de comique

Différents types de comique sont présents dans les pièces de Molière. Précisons d'abord que le comique est un registre littéraire, tandis que la comédie est un genre. Le comique est ce qui provoque le rire et caractérise de ce fait la comédie. On dénombre quatre types de comique au théâtre, qui se retrouvent tous dans *Le Tartuffe* :

- **De gestes** : le rire est provoqué par les gestes des comédiens (pour le lecteur de la pièce, l'information est donnée dans les didascalies), c'est-à-dire par les mimiques, les grimaces, les vêtements et les accessoires. Exemple : la gifle manquée d'Orgon à Dorine (Acte I, scène 1).

- **De caractère** : le caractère du personnage, vices, idées ou traits moraux, provoque le rire. Exemple : Tartuffe, personnage à deux visages, se ridiculise lorsqu'il joue le dévot tout en séduisant Elmire (Acte III, Scène 3).

- **De situation** : le comique vient de la situation incongrue dans laquelle se trouvent les personnages (rebondissements, coïncidences, quiproquos, etc.). Exemple : Tartuffe déclare avec éloquence son désir pour Elmire alors qu'Orgon est caché sous la table (Acte IV, scènes 4, 5, 6).

- **De mots** : les paroles prononcées par les comédiens provoquent le rire (déformations, jargon, exagération, jeux de mots, répétitions, etc.). Exemple : Dorine informe Orgon sur la maladie d'Elmire et il ne cesse de répéter « Le pauvre homme » alors que ce dernier se porte à merveille (Acte I, scène 4).

Le Tartuffe ou la critique

a) De l'hypocrisie

Parmi les thèmes abordés dans la pièce, **l'hypocrisie**, comme défaut de la nature humaine, est le plus important et il en est même **l'enjeu majeur**.

Dans sa préface, l'auteur écrit que « l'hypocrisie est, dans l'État, **un vice bien plus dange-reux que tous les autres** » (p. 14). L'hypocrite est celui qui **cache ses vrais** sentiments, ses vraies pensées, ses vraies intentions et manipule de ce fait ses interlocuteurs. **Tartuffe** est ce personnage : il prend le masque de l'homme de bien alors qu'il n'est qu'un menteur, un criminel et un profiteur. Il ne révèle pas ses sentiments, mais la présence des deux « camps » de personnages permet au spectateur de comprendre la nature de l'homme et ainsi de ne pas se laisser duper. D'ailleurs, le fait qu'on ne sache pas vraiment qui il est se traduit dans la pièce par le fait qu'il n'apparaisse presque pas alors qu'il est l'élément pivot. C'est donc **la répercussion de ses dires et faits sur l'entourage qui le définit** et non son for intérieur, auquel nous n'avons pas accès, sinon par le soulèvement du voile.

L'hypocrisie est palpable dès la première scène. Les personnages sympathiques aux spectateurs sont ceux qui critiquent le plus fortement le faux dévot, alors qu'Orgon et Mme Pernelle semblent peu lucides, tant leur adulation est grande, et donc peu crédibles. Derrière une humilité feinte, se campe un homme avide de pouvoir et d'argent. Le spectateur connait sa duplicité et Molière veut qu'il la perçoive directement pour peut-être le mettre face à sa propre réalité.

b) De la religion

Il est évident que ce n'est pas uniquement le fait d'être hypocrite que **Molière critique**, mais surtout **le fait d'agir ainsi sous le masque de l'homme de foi**. Molière se livre en effet à une attaque envers la religion, ce qui lui a valu le **refus des deux premières versions de la pièce**.

Le siècle classique était **très religieux** et, vu que Molière imposait sans détour une grande atteinte à la religion puisqu'il était difficile dans les deux premières versions de la pièce de différencier vrais et faux dévots, il n'est pas surprenant qu'on l'ait interdit de représentation durant 5 ans.

Molière se défend d'avoir seulement pris l'homme d'Église comme prétexte, que son couperet s'abat sur l'hypocrisie uniquement, mais on a de sérieuses raisons de penser qu'il critique également la religion elle-même. Premièrement, Tartuffe se cache sous la foi ; ensuite, Molière recourt sans cesse au vocabulaire religieux pour le placer dans la bouche du menteur qui évoque constamment Dieu, le péché, la tentation, la charité, le repentir, etc.

Cependant, **pour contrebalancer cette image négative du dévot, Molière crée le personnage de Cléante**, qui introduit de la nuance. Il montre que toute dévotion n'est pas le masque d'une duperie et que tout dévot n'est pas un homme mauvais qui cache sa vraie nature. Il critique les faux dévots, mais reconnait qu'il existe des hommes dont les actions et les pensées sont sincèrement charitables.

On a donc, d'une part une pratique faussement religieuse, donc condamnable, d'autre part une pratique religieuse modérée et bonne dont l'existence est soulignée par Cléante.

L'interdiction de la pièce est le fait d'un groupe d'individus, la « cabale des dévots », influents de la Compagnie du Saint-Sacrement. Celle-ci s'occupait des missions étrangères, de la lutte contre les hérétiques, d'œuvres de bienfaisance : visites des prisons, protection des jeunes filles, aides aux orphelins ou encore secours aux pauvres. Elle prétendait aussi lutter contre les désordres, les duels, les excès du carnaval et toutes les formes de débauche. Pour assurer à tout prix le salut du prochain, elle veillait au maintien de l'ordre moral sans bruit et sans éclat grâce à des pressions discrètes exercées par un réseau de personnages influents[1]. Les membres de cette Compagnie se sont sentis attaqués par la pièce, jugeant la mise en relief de la duplicité du comportement vis-à-vis de la religion trop subtile. C'est le personnage de Cléante qui a permis d'autoriser la représentation de la pièce.

c) Du mariage forcé

Une autre critique qui ressort, mais moins nettement, est celle du mariage forcé, celui qu'Orgon impose, par **l'absolutisme de son pouvoir paternel**, à sa fille alors que celle-ci est destinée à un autre. Il faut noter qu'**à l'époque,** c'est encore **tout à fait courant**. Molière met donc en avant quelque chose de tout à fait habituel : le père, et ensuite le mari, a tous les droits dans sa demeure et il est vain d'essayer de le contredire. Molière condamne cette pratique puisqu'à la fin, le mariage célébré est celui de l'amour.

4. PISTES DE RÉFLEXION

Quelques questions pour approfondir sa réflexion...

- De quelle manière Tartuffe parvient-il à duper Orgon et Mme Pernelle ?

- Quelle différence note-t-on entre Orgon et son frère Cléante du point de vue de leurs comportements et de leurs discours ?

- Certains aspects de l'œuvre de Molière nous parlent encore aujourd'hui, mais d'autres ne sont plus d'actualité. Expliquez et justifiez.

- Expliquez en quoi consiste, en prenant pour exemple un personnage de la pièce, la posture de l'honnête homme à l'époque de Molière

- Lors de l'acte V, scène 7, il y a un coup de théâtre. Comment a-t-il pu avoir lieu ?

- Qu'est-ce qui fait de cette pièce une comédie ?

- Comment vous y prendriez-vous pour mettre cette pièce en scène ?

- On dit que Mme Pernelle incarne le conservatisme et Elmire une forme de modernité. Qu'est-ce qui permet de formuler cette observation (comportement, attitudes, traits de caractère) ?

- Tartuffe est-il le seul personnage à être critiqué et ridiculisé ? Justifiez.

5. INFORMATIONS COMPLÉMENTAIRES

Édition de référence

- Molière, *Tartuffe*, Paris : Hatier, « Les Classiques Hatier », 1967.

Études de référence

- Ferreyrolles Gérard, *Tartuffe*, Paris, PUF, 1987.

- Pommier René, *Études sur Tartuffe*, Paris, SEDES, 1991.

Adaptations

- Il existe 3 adaptations cinématographiques faites par Piero Fosco (1908), Albert Capellani (1910) et Friedrich Murnau (1926).

- On retiendra également la mise en scène de J. Lasalle avec Gérard Depardieu dans le rôle de Tartuffe en 1984.

- Notons également que la postérité est telle que le mot « tartuffe » est passé dans le langage courant pour parler d'une personne hypocrite.

LePetitLittéraire.fr, une collection en ligne d'analyses littéraires de référence :
* des fiches de lecture, des questionnaires de lecture et des commentaires composés
* sur plus de 500 œuvres classiques et contemporaines
* ... le tout dans un langage clair et accessible !

Connectez-vous sur lePetitlittéraire.fr et téléchargez nos documents en quelques clics :

Adamek, *Le fusil à pétales*
Alibaba et les 40 voleurs
Amado, *Cacao*
Ancion, *Quatrième étage*
Andersen, *La petite sirène et autres contes*
Anouilh, *Antigone*
Anouilh, *Le Bal des voleurs*
Aragon, *Aurélien*
Aragon, *Le Paysan de Paris*
Aragon, *Le Roman inachevé*
Aurevilly, *Le chevalier des Touches*
Aurevilly, *Les Diaboliques*
Austen, *Orgueil et préjugés*
Austen, *Raison et sentiments*
Auster, *Brooklyn Folies*
Aymé, *Le Passe-Muraille*
Balzac, *Ferragus*
Balzac, *La Cousine Bette*
Balzac, *La Duchesse de Langeais*
Balzac, *La Femme de trente ans*
Balzac, *La Fille aux yeux d'or*
Balzac, *Le Bal des sceaux*
Balzac, *Le Chef-d'oeuvre inconnu*
Balzac, *Le Colonel Chabert*
Balzac, *Le Père Goriot*
Balzac, *L'Elixir de longue vie*
Balzac, *Les Chouans*
Balzac, *Les Illusions perdues*
Balzac, *Sarrasine*
Balzac, *Eugénie Grandet*
Balzac, *La Peau de chagrin*
Balzac, *Le Lys dans la vallée*
Barbery, *L'Elégance du hérisson*
Barbusse, *Le feu*
Baricco, *Soie*
Barjavel, *La Nuit des temps*
Barjavel, *Ravage*
Bauby, *Le scaphandre et le papillon*
Bauchau, *Antigone*
Bazin, *Vipère au poing*
Beaumarchais, *Le Barbier de Séville*
Beaumarchais, *Le Mariage de Figaro*
Beauvoir, *Le Deuxième sexe*
Beauvoir, *Mémoires d'une jeune fille rangée*
Beckett, *En attendant Godot*
Beckett, *Fin de partie*
Beigbeder, *Un roman français*
Benacquista, *La boîte noire et autres nouvelles*
Benacquista, *Malavita*
Bourdouxhe, *La femme de Gilles*
Bradbury, *Fahrenheit 451*
Breton, *L'Amour fou*
Breton, *Le Manifeste du Surréalisme*
Breton, *Nadja*
Brink, *Une saison blanche et sèche*

Brisville, *Le Souper*
Brönte, *Jane Eyre*
Brönte, *Les Hauts de Hurlevent*
Brown, *Da Vinci Code*
Buzzati, *Le chien qui a vu Dieu et autres nouvelles*
Buzzati, *Le veston ensorcelé*
Calvino, *Le Vicomte pourfendu*
Camus, *La Chute*
Camus, *Le Mythe de Sisyphe*
Camus, *Le Premier homme*
Camus, *Les Justes*
Camus, *L'Etranger*
Camus, *Caligula*
Camus, *La Peste*
Carrère, *D'autres vies que la mienne*
Carrère, *Le retour de Martin Guerre*
Carrière, *La controverse de Valladolid*
Carrol, *Alice au pays des merveilles*
Cassabois, *Le Récit de Gildamesh*
Céline, *Mort à crédit*
Céline, *Voyage au bout de la nuit*
Cendrars, *J'ai saigné*
Cendrars, *L'Or*
Cervantès, *Don Quichotte*
Césaire, *Les Armes miraculeuses*
Chanson de Roland
Char, *Feuillets d'Hypnos*
Chateaubriand, *Atala*
Chateaubriand, *Mémoires d'Outre-Tombe*
Chateaubriand, *René 25*
Chateaureynaud, *Le verger et autres nouvelles*
Chevalier, *La dame à la licorne*
Chevalier, *La jeune fille à la perle*
Chraïbi, *La Civilisation, ma Mère!...*
Chrétien de Troyes, *Lancelot ou le Chevalier de la Charrette*
Chrétien de Troyes, *Perceval ou le Roman du Graal*
Chrétien de Troyes, *Yvain ou le Chevalier au Lion*
Chrétien de Troyes, *Erec et Enide*
Christie, *Dix petits nègres*
Christie, *Nouvelles policières*
Claudel, *La petite fille de Monsieur Lihn*
Claudel, *Le rapport de Brodeck*
Claudel, *Les âmes grises*
Cocteau, *La Machine infernale*
Coelho, *L'Alchimiste*
Cohen, *Le Livre de ma mère*
Colette, *Dialogues de bêtes*
Conrad, *L'hôte secret*
Conroy, *Corps et âme*
Constant, *Adolphe*
Corneille, *Cinna*

Corneille, *Horace*
Corneille, *Le Menteur*
Corneille, *Le Cid*
Corneille, *L'Illusion comique*
Courteline, *Comédies*
Daeninckx, *Cannibale*
Dai Sijie, *Balzac et la Petite Tailleuse chinoise*
Dante, *L'Enfer*
Daudet, *Les Lettres de mon moulin*
De Gaulle, *Mémoires de guerre III. Le Salut. 1944-1946*
De Lery, *Voyage en terre de Brésil*
De Vigan, *No et moi*
Defoe, *Robinson Crusoé*
Del Castillo, *Tanguy*
Deutsch, *Les garçons*
Dickens, *Oliver Twist*
Diderot, *Jacques le fataliste*
Diderot, *Le Neveu de Rameau*
Diderot, *Paradoxe sur le comédien*
Diderot, *Supplément au voyage de Bougainville*
Dorgelès, *Les croix de bois*
Dostoïevski, *Crime et châtiment*
Dostoïevski, *L'idiot*
Doyle, *Le Chien des Baskerville*
Doyle, *Le ruban moucheté*
Doyle, *Scandales en bohème et autres contes*
Dugain, *La chambre des officiers*
Dumas, *Le Comte de Monte Cristo*
Dumas, *Les Trois Mousquetaires*
Dumas, *Pauline*
Duras, *Le Ravissement de Lol V. Stein*
Duras, *L'Amant*
Duras, *Un barrage contre le Pacifique*
Eco, *Le Nom de la rose*
Enard, *Parlez-leur de batailles, de rois et d'éléphants*
Ernaux, *La Place*
Ernaux, *Une femme*
Fabliaux du Moyen Age
Farce de Maitre Pathelin
Faulkner, *Le bruit et la fureur*
Feydeau, *Feu la mère de Madame*
Feydeau, *On purge bébé*
Feydeau, *Par la fenêtre et autres pièces*
Fine, *Journal d'un chat assassin*
Flaubert, *Bouvard et Pecuchet*
Flaubert, *Madame Bovary*
Flaubert, *L'Education sentimentale*
Flaubert, *Salammbô*
Follett, *Les piliers de la terre*
Fournier, *Où on va papa?*
Fournier, *Le Grand Meaulnes*

Pagnol, *Le château de ma mère*
Pagnol, *La gloire de mon père*
Pancol, *La valse lente des tortues*
Pancol, *Les écureuils de Central Park sont tristes le lundi*
Pancol, *Les yeux jaunes des crocodiles*
Pascal, *Pensées*
Péju, *La petite chartreuse*
Pennac, *Cabot-Caboche*
Pennac, *Au bonheur des ogres*
Pennac, *Chagrin d'école*
Pennac, *Kamo*
Pennac, *La fée carabine*
Perec, *W ou le souvenir d'Enfance*
Pergaud, *La guerre des boutons*
Perrault, *Contes*
Petit, *Fils de guerre*
Poe, *Double Assassinat dans la rue Morgue*
Poe, *La Chute de la maison Usher*
Poe, *La Lettre volée*
Poe, *Le chat noir et autres contes*
Poe, *Le scarabée d'or*
Poe, *Manuscrit trouvé dans une bouteille*
Polo, *Le Livre des merveilles*
Prévost, *Manon Lescaut*
Proust, *Du côté de chez Swann*
Proust, *Le Temps retrouvé*
Queffélec, *Les Noces barbares*
Queneau, *Les Fleurs bleues*
Queneau, *Pierrot mon ami*
Queneau, *Zazie dans le métro*
Quignard, *Tous les matins du monde*
Quint, *Effroyables jardins*
Rabelais, *Gargantua*
Rabelais, *Pantagruel*
Racine, *Andromaque*
Racine, *Bajazet*
Racine, *Bérénice*
Racine, *Britannicus*
Racine, *Iphigénie*
Racine, *Phèdre*
Radiguet, *Le diable au corps*
Rahimi, *Syngué sabour*
Ray, *Malpertuis*
Remarque, *A l'Ouest, rien de nouveau*
Renard, *Poil de carotte*
Reza, *Art*
Richter, *Mon ami Frédéric*
Rilke, *Lettres à un jeune poète*
Rodenbach, *Bruges-la-Morte*
Romains, *Knock*
Roman de Renart
Rostand, *Cyrano de Bergerac*
Rotrou, *Le Véritable Saint Genest*
Rousseau, *Du Contrat social*
Rousseau, *Emile ou de l'Education*
Rousseau, *Les Confessions*
Rousseau, *Les Rêveries du promeneur solitaire*
Rowling, *Harry Potter–La saga*
Rowling, *Harry Potter à l'école des sorciers*
Rowling, *Harry Potter et la Chambre des Secrets*
Rowling, *Harry Potter et la coupe de feu*
Rowling, *Harry Potter et le prisonnier d'Azkaban*
Rufin, *Rouge brésil*

Saint-Exupéry, *Le Petit Prince*
Saint-Exupéry, *Vol de nuit*
Saint-Simon, *Mémoires*
Salinger, *L'attrape-cœurs*
Sand, *Indiana*
Sand, *La Mare au diable*
Sarraute, *Enfance*
Sarraute, *Les Fruits d'Or*
Sartre, *La Nausée*
Sartre, *Les mains sales*
Sartre, *Les mouches*
Sartre, *Huis clos*
Sartre, *Les Mots*
Sartre, *L'existentialisme est un humanisme*
Sartre, *Qu'est-ce que la littérature?*
Schéhérazade et Aladin
Schlink, *Le Liseur*
Schmitt, *Odette Toutlemonde*
Schmitt, *Oscar et la dame rose*
Schmitt, *La Part de l'autre*
Schmitt, *Monsieur Ibrahim et les fleurs du Coran*
Semprun, *Le mort qu'il faut*
Semprun, *L'Ecriture ou la vie*
Sépulvéda, *Le Vieux qui lisait des romans d'amour*
Shaffer et Barrows, *Le Cercle littéraire des amateurs d'épluchures de patates*
Shakespeare, *Hamlet*
Shakespeare, *Le Songe d'une nuit d'été*
Shakespeare, *Macbeth*
Shakespeare, *Romeo et Juliette*
Shan Sa, *La Joueuse de go*
Shelley, *Frankenstein*
Simenon, *Le bourgmestre de Fume*
Simenon, *Le chien jaune*
Sinbad le marin
Sophocle, *Antigone*
Sophocle, *Œdipe Roi*
Steeman, *L'Assassin habite au 21*
Steinbeck, *La perle*
Steinbeck, *Les raisins de la colère*
Steinbeck, *Des souris et des hommes*
Stendhal, *Les Cenci*
Stendhal, *Vanina Vanini*
Stendhal, *La Chartreuse de Parme*
Stendhal, *Le Rouge et le Noir*
Stevenson, *L'Etrange cas du Docteur Jekyll et de M. Hyde*
Stevenson, *L'Île au trésor*
Süskind, *Le Parfum*
Szpilman , *Le Pianiste*
Taylor, *Inconnu à cette adresse*
Tirtiaux, *Le passeur de lumière*
Tolstoï, *Anna Karénine*
Tolstoï, *La Guerre et la paix*
Tournier, *Vendredi ou la vie sauvage*
Tournier, *Vendredi ou les limbes du pacifique*
Toussaint, *Fuir*
Tristan et Iseult
Troyat, *Aliocha*
Uhlman, *L'Ami retrouvé*
Ungerer, *Otto*
Vallès, *L'Enfant*
Vargas, *Dans les bois éternels*
Vargas, *Pars vite et reviens tard*
Vargas, *Un lieu incertain*

Verne, *Deux ans de vacances*
Verne, *Le Château des Carpathes*
Verne, *Le Tour du monde en 80 jours*
Verne, *Madame Zacharius, Aventures de la famille Raton*
Verne, *Michel Strogoff*
Verne, *Un hivernage dans les glaces*
Verne, *Voyage au centre de la terre*
Vian, *L'écume des jours*
Vigny, *Chatterton*
Virgile, *L'Enéide*
Voltaire, *Jeannot et Colin*
Voltaire, *Le monde comme il va*
Voltaire, *L'Ingénu*
Voltaire, *Zadig*
Voltaire, *Candide*
Voltaire, *Micromégas*
Wells, *La guerre des mondes*
Werber, *Les Fourmis*
Wilde, *Le Fantôme de Canterville*
Wilde, *Le Portrait de Dorian Gray*
Woolf, *Mrs Dalloway*
Yourcenar, *Comment Wang-Fô fut sauvé*
Yourcenar, *Mémoires d'Hadrien*
Zafón, *L'Ombre du vent*
Zola, *Au Bonheur des Dames*
Zola, *Germinal*
Zola, *Jacques Damour*
Zola, *La Bête Humaine*
Zola, *La Fortune des Rougon*
Zola, *La mort d'Olivier Bécaille et autres nouvelles*
Zola, *L'attaque du moulin et autre nouvelles*
Zola, *Madame Sourdis et autres nouvelles*
Zola, *Nana*
Zola, *Thérèse Raquin*
Zola, *La Curée*
Zola, *L'Assommoir*
Zweig, *La Confusion des sentiments*
Zweig, *Le Joueur d'échecs*

NOTES

Printed in Germany
by Amazon Distribution
GmbH, Leipzig